Promexa/Todo lo que necesitas saber

CUANDO TUS PADRES SE DIVORCIAN

Cuando uno de los padres se va de casa, cambia la vida de toda la familia.

Todo lo que necesitas saber

cuando

TUS PADRES SE DIVORCIAN

Linda Carlson Johnson

PROMEXA

Título original: *Your parents' divorce*

Primera edición en inglés: 1989, The Rosen Publishing Group, Inc.
Primera edición en español: 1994, Promexa

Traducción: Enrique Mercado
Portada: Carlos Aguirre
Fotografía de la portada: Gerardo Suter
Ilustraciones: Juan Antonio Bribiesca
Tipografía: Solar, Servicios Editoriales, S.A. de C.V.
Cuidado editorial: Ma. Eugenia Carrillo

ISBN 968-39-0822-5

Impreso en México/*Printed in Mexico*

Índice

Introducción

Una familia comienza cuando un hombre y una mujer se enamoran, se casan y tienen hijos. En los cuentos, las historias terminan así: el esposo, la esposa y los hijos viven felices para siempre.

Pero en la vida real lo anterior es apenas el principio de la historia. Aunque ambos esposos se amen profundamente, tanto como a sus hijos, es inevitable que surjan problemas. A veces, cuando éstos alcanzan dimensiones tales que ninguno de los dos puede resolver, deciden divorciarse.

Este libro habla de otra historia: la que comienza precisamente después del divorcio y que tiene que ver con la relación entre padres e hijos. Estos últimos suelen adoptar una actitud de rebeldía o se sienten tristes, temerosos y, las más de las veces, confundidos. No obstante, los padres siguen amando a sus hijos y éstos a sus padres.

Si tus padres se divorcian, tu familia nunca volverá a ser la misma. La vida en común de tus padres ha terminado. Sin embargo, sigues teniendo mamá y papá, y ellos comparten algo muy importante: tú.

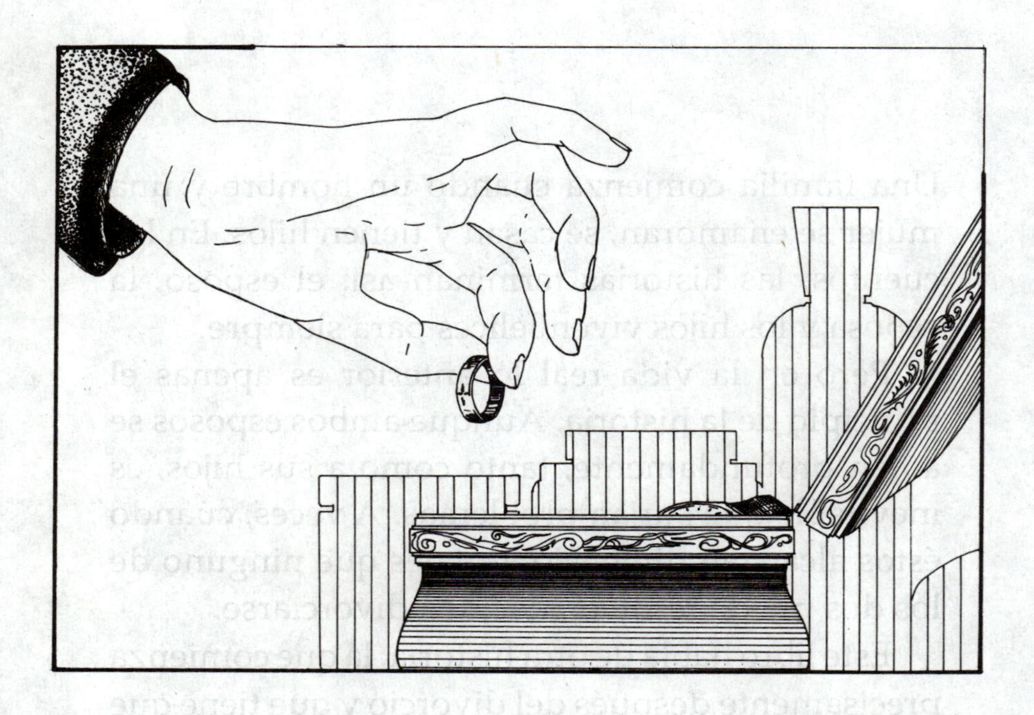

Con el divorcio, la vida en común de tus padres ha terminado.

El divorcio no es el fin de la familia, sino el inicio de una vida familiar distinta. Este libro te ayudará a comprender lo que ha pasado en la vida de tus padres, no sólo sus sentimientos, sino también los tuyos; pero lo que es más importante, te permitirá darte cuenta de que no estás solo.

A veces los hijos creen que uno de los padres se va de casa por culpa suya.

Capítulo 1

Recuerdo ese día

¿Cómo saben los hijos que sus padres están a punto de divorciarse? A veces les resulta fácil descubrirlo, pero otras no es tan sencillo. De cualquier manera, llega el día en que se enteran. He aquí cómo recuerdan ese día cuatro adolescentes.

Estábamos mi hermano y yo viendo la televisión en la sala, cuando oímos que mamá y papá gritaban en la cocina. Luego se oyó un ruido muy fuerte y mamá gritó más todavía. Corrimos para ver qué pasaba. Mamá estaba llorando, se veía muy asustada. Papá estaba ahí parado, mirando un hoyo en la pared. Al vernos, gritó: "¿Qué ven? ¡Afuera!" Corrimos a la sala. Después de un portazo los gritos terminaron.

No sabía que las cosas anduvieran mal. Mis papás nunca se habían peleado como los papás de mis amigos. Pero una noche entraron juntos a mi recámara y se sentaron en mi cama. Se veían muy tristes. Me dijeron que ya no se querían, que iban a divorciarse. Los dos empezaron a llorar y me abrazaron. Me dijeron que a pesar de todo seguían queriéndome.

Me di cuenta de que mis papás ya no se sentían bien juntos. Peleaban todo el tiempo. Papá se la pasaba diciendo que se iba a ir y que ya no regresaría, incluso se fue varias veces. Pero un día sí se pelearon muy fuerte; papá hizo sus maletas y se fue. Días después, regresó con una camioneta y se llevó muchas cosas de la casa.

Por lo general, mi mamá no estaba en la casa cuando yo volvía de la escuela, pero ese día la encontré ahí. Estaba cargando cosas en el carro y le pregunté: "¿A dónde vas, mamá?" Entramos a la casa y me dijo que tenía que irse por un tiempo, que le había dejado un recado a mi papá en la recámara, y luego se fue. Más tarde me enteré de que se había ido a vivir con otra persona.

Quizá tú hayas vivido una situación similar a las anteriores o, bien, una completamente diferente. Muchos otros niños y adolescentes han sentido lo mismo que tú y tampoco olvidan el día en que sus padres decidieron divorciarse.

Es doloroso saber que los padres ya no se aman.

Tal vez el recuerdo de ese día te haga sentir mal. De ser así, te serviría platicar del asunto con un amigo o con un adulto a quien le tengas confianza.

Cuando uno de los padres se va, los hijos tienen que colaborar más en las tareas del hogar.

Chicago Public Library
Toman
10/11/2016 5:54:41 PM
-Patron Receipt-

ITEMS BORROWED:

1:
Title: Gente muy diferente /
Item #: R0600256801
Due Date: 11/1/2016

2:
Title: Todo lo que necesitas saber cuando
Item #: R0108928382
Due Date: 11/1/2016

3:
Title: Cuentos para enseni far a tus hijos a
Item #: R0302319416
Due Date: 11/1/2016

4:
Title: El divorcio explicado a los nini fos: (
Item #: R0311427886
Due Date: 11/1/2016

5:
Title: Un cuento triste no tan triste /
Item #: R0443790274
Due Date: 11/1/2016

-Please retain for your records-

GMONTOYA

Capítulo 2

¡Nada es igual!

Susana tiene 15 años. Hasta hace poco vivía en una casa grande con su mamá, su papá y dos hermanas menores. De camino a su trabajo, su papá la llevaba a la secundaria todos los días. Casi siempre, al terminar las clases, se quedaba en la escuela a las prácticas de gimnasia. Su mamá tenía un trabajo de medio tiempo, así que cuando sus hijas volvían, ella ya estaba en casa.

Los padres de Susana se divorciaron hace tres meses y vendieron la casa. Las tres hermanas viven ahora con su mamá en un departamento pequeño y ven a su papá únicamente los sábados. El también vive en un departamento, pero en otra ciudad, no muy lejos. La mamá trabaja todo el día y Susana tuvo que salirse del equipo de gimnasia para hacerse cargo de sus hermanas después de clases.

Un día cuando regresaba de trabajar, su madre la encontró llorando y le preguntó qué le pasaba. Susana, que parecía enojada, le respondió a gritos: "¡Nada es lo mismo!", y echó a correr a su recámara.

Susana estaba desconcertada. En unos cuantos meses su vida cambió por completo: su papá ya no vive con ellas, tuvieron que mudarse de una casa grande a un departamento pequeño, ella tuvo que dejar el equipo de gimnasia y por si fuera poco ahora debe encargarse de sus hermanas después de la escuela.

Si tus padres se han divorciado, es muy probable que también en tu vida hayan ocurrido cambios:

- **Tal vez la mayor parte del tiempo vivas sólo con tu mamá o con tu papá.**

Un juez puede haber concedido tu *custodia* a uno de ellos. El padre que tiene la custodia se encarga la mayor parte del tiempo de ti y te lleva a vivir con él. A veces, a los padres se les concede la custodia conjunta de sus hijos. *Custodia conjunta* significa que tanto tu padre como tu madre son responsables de ti y toman decisiones sobre tu vida. Sin embargo, aun cuando ambos son depositarios de la custodia, lo común es que los hijos vivan sólo con uno de ellos.

- **Quizá extrañas a aquel de tus padres que ves menos.**

Tal vez tu papá o tu mamá se ha ido a vivir lejos. También puede ser que al que ya no vive contigo, no le hayan otorgado *derechos de visita*. El derecho de uno de tus padres a visitarte depende de la decisión del juez en el momento del divorcio. Por este medio se determina cuándo y con qué frecuencia los padres que no viven con sus hijos pueden verlos.

- **Tal vez te hayas mudado de casa.**

Quizá también estás en una escuela nueva, lo que significa que tendrás que hacer nuevos amigos.

- **Probablemente te parezca que tu mamá y tu papá tienen ahora mucho menos dinero.**

Suele ocurrir que los padres que se divorcian disponen de menos dinero del que tenían cuando estaban casados. La razón de ello es que el padre que se fue ya no gasta ahora sólo en una casa, sino en dos. Es muy probable que aquel de tus padres a quien le fue concedida tu custodia reciba del otro algo de dinero, al que por lo general se le llama *pensión para los hijos*. Esta pensión le sirve al padre con el que vives para pagar tus gastos, como la alimentación y la ropa.

- **Quizá tengas que ayudar más en tu casa.**

Susana tuvo que hacerse cargo de sus hermanas. Como ella, seguramente tienes tareas adicionales: eres responsable de limpiar el patio, preparar la cena o realizar otros quehaceres domésticos.

Puede ser que a veces te sientas como Susana y que te den ganas de llorar porque ahora todo es diferente.

No es extraño que te sientas así. Sin embargo, no es conveniente que acumules esos sentimientos y llegues al extremo de sólo llorar y gritar. Deberías platicarle a tu mamá o a tu papá cómo te sientes. Quizá no se han dado cuenta de lo difícil que resulta para ti esta nueva situación. También podrías contárselo a un amigo, a un familiar e incluso a alguno de tus profesores. Si asistes a una iglesia, podrás encontrar ahí a alguien con quien conversar.

Platicar con la gente no modifica lo ocurrido, pero el solo hecho de hablar con alguien acerca de tus problemas es valioso; te darás cuenta de que hay personas que se interesan en ti y que te escuchan con atención.

A los hijos puede afectarles que los abuelos tomen partido cuando los padres se pelean.

Capítulo 3

¿Quién tiene la culpa?

Tomás le pide dinero a su mamá para comprarse una chamarra de mezclilla y ella le responde: "¡Olvídalo! No tengo dinero. Si tu padre no nos hubiera abandonado, no estaríamos con la bolsa vacía."

Sara llega a casa. Su madre, que no se percata de su presencia, está sentada a la mesa de la cocina platicando con su amiga Lourdes y ésta le dice: "Tú no hiciste nada malo. Se lo diste todo y ¿cómo te lo agradeció? Largándose. Si me lo preguntas, te diría que nunca fue bueno contigo."

Guillermo pasa una semana con sus abuelitos. Una noche les hace creer que ya se ha ido a dormir para poder escuchar lo que hablan en la sala. "¡Qué vergüenza!" —exclama su abuelita. "Sí —dice su abuelo—, y todo por esa esposa de la que se enamoró. Si ella no hubiera andado de arriba para abajo todo el día, seguirían juntos."

Tomás, Sara y Guillermo tienen el mismo problema: quienes los rodean se encuentran muy enojados. Es común que las personas que atraviesan por un enojo, en el fondo sufran y busquen entonces al culpable de ello.

Si tus padres están divorciados, probablemente has oído que se culpan uno al otro, o que una tercera persona opina que tal o cual fue el culpable.

No puedes dejar de escuchar lo que los demás dicen, sobre todo si se trata de una conversación sobre tu papá o tu mamá. Sin embargo, escuchar esas voces enojadas hará que tú te enojes también.

El enojo por el divorcio de tus padres puede hacerte daño e incluso provocar que te alejes de uno de ellos o de ambos.

Por eso, debes saber que, en la mayoría de los casos, el divorcio no es culpa de nadie, aun cuando la gente se obstine en señalar a un responsable.

Lo más recomendable es que te abstengas de emitir un juicio. Lo que ocurrió ya es parte del pasado. Sin duda, tus padres sufren por el divorcio y es ahora cuando más necesitan de tu amor y tú del suyo.

Pero, ¿qué pasa si *no puedes dejar de pensar* en que uno de los dos tiene la culpa? Pues que tu enojo sólo te va a hacer sufrir más. Esfuérzate por superarlo y olvidarlo. Claro que no es fácil, pero es muy importante que lo intentes. En cuanto lo ignores, te sentirás aliviado. Eso te permitirá mejorar tu relación con aquel de tus padres a quien estabas rechazando y, sobre todo, contigo mismo.

Si aun así no puedes dejar de sentirte indignado, entonces necesitas ayuda. Platica con alguien en quien confíes. Elige a una persona que no esté involucrada en el asunto. Quizá lo más conveniente es que converses con tu maestro o con el sacerdote de la iglesia que frecuentas.

En este caso, es probable que tengas que solicitar una cita, lo que implica hablar con la secretaria de la persona con la que deseas conversar. No tienes por qué contarle a ella tu problema, bastará con que le digas: "Quisiera hablar con... ¿Me puede decir cuándo podría recibirme?"

Tal vez la secretaria te pregunte para qué quieres hablar con esa persona, puedes decirle que deseas consultarle acerca del divorcio de tus padres; si no, dile simplemente, sin desesperarte ni enojarte: "Es un asunto personal. Pero es algo importante."

Si has concertado cita para entrevistarte con

alguien, no dejes de asistir. Cuéntale a esa persona cómo te sientes. Es importante que tus sentimientos no se queden dentro de ti.

Capítulo 4

No es culpa tuya

Muchos adolescentes no responsabilizan a sus padres por su divorcio, sino que se culpan a sí mismos. Carlos, Sonia y Pilar son tres muchachos que piensan que ellos causaron el rompimiento de sus padres.

- Carlos tiene 16 años. No puede olvidar que antes de que sus padres se divorciaran se la pasaban peleando todo el tiempo, la mayoría de las veces por algo que tenía que ver con él. Eso lo hacía sentirse muy mal.
- Sonia tiene 14 años. Siempre se peleaba con su hermana Silvia. Cada noche, su papá explotaba diciendo: "¡Me paso trabajando todo

A veces los hijos creen que uno de los padr

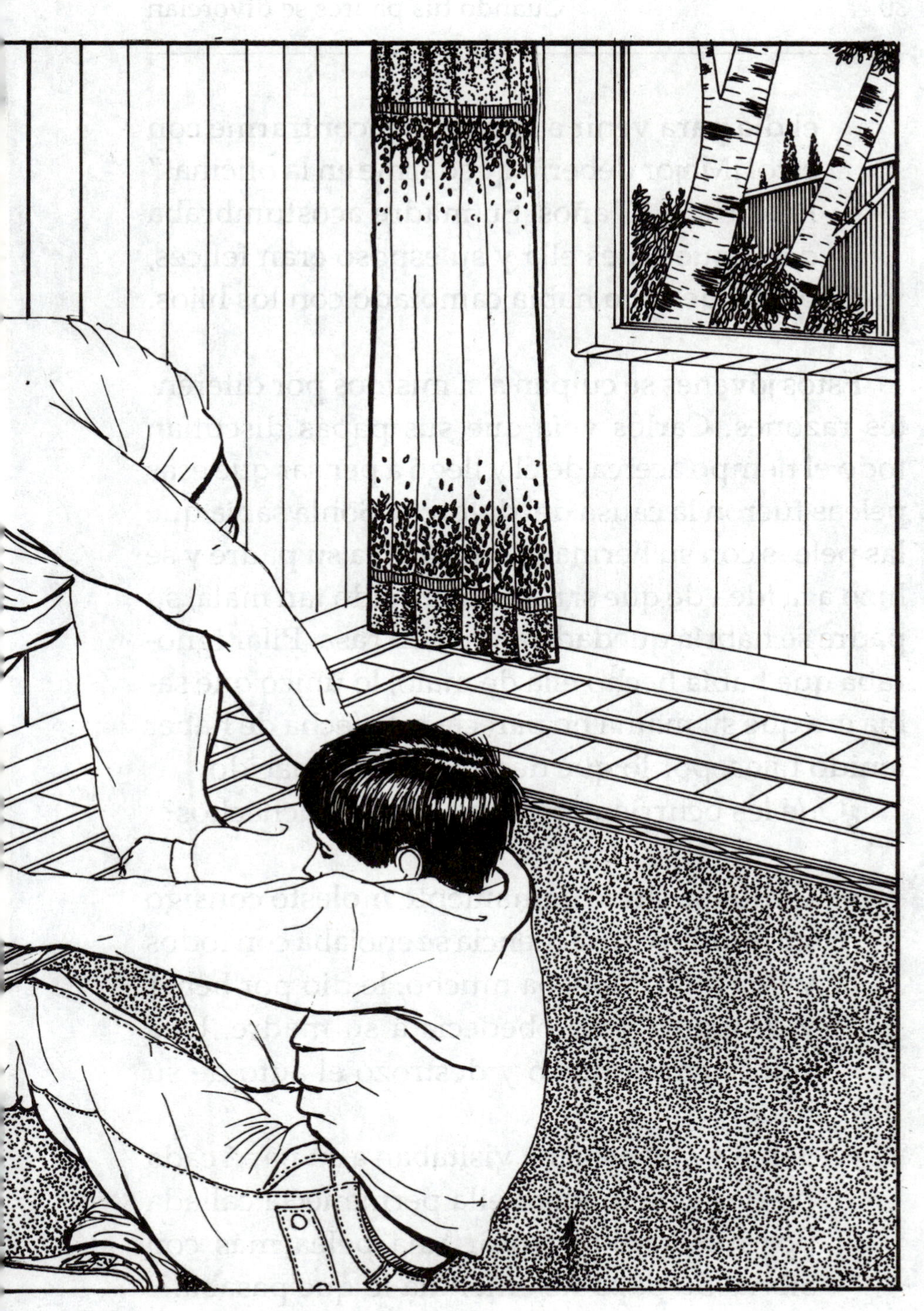

fue de casa porque lo hacían enojar mucho.

el día para venir a la casa y encontrarme con esto! ¡Mejor debería quedarme en la oficina!"

- Pilar tiene 13 años. Su madre acostumbraba decir que antes ella y su esposo eran felices, pero que todo había cambiado con los hijos.

Estos jóvenes se culpan a sí mismos por diferentes razones. Carlos veía que sus papás discutían todo el tiempo acerca de él y llegó a pensar que esas peleas fueron la causa del divorcio. Sonia sabía que las peleas con su hermana enojaban a su padre y se hizo a la idea de que si no hubiera sido tan mala, su padre se habría quedado a vivir en casa. Pilar ignoraba qué había hecho ella de malo, lo único que sabía era que su mamá no parecía satisfecha de haber tenido hijos, por lo que deseó no haber nacido.

¿Qué les ocurrió entonces a estos muchachos?

- Carlos se sintió sumamente molesto consigo mismo; en consecuencia se enojaba con todos y por todo. Peleaba mucho, le dio por beber y drogarse y no obedecía a su madre. Una vez se emborrachó y destrozó el auto de su padre.
- Sonia y su hermana visitaban a su papá cada fin de semana, pero ella permanecía callada por miedo a provocar una pelea más con Silvia. Su papá no entendía lo que pasaba.

Algunos hijos se deprimen tanto por el divorcio de sus padres que intentan suicidarse.

- Pilar se deprimió muchísimo, siempre se sentía enferma y ya ni siquiera platicaba con sus amigas. En un momento de desesperación intentó suicidarse, tomándose todas las pastillas que encontró. Su madre la halló tirada en el piso de su recámara y la llevó de inmediato al hospital, donde pudieron salvarle la vida. Cuando volvió en sí, se soltó a llorar; ella pensaba que ya estaba muerta.

Ninguno de estos jóvenes provocó la separación de sus padres, aunque ellos no lo pensaban así. Se volvieron agresivos, temerosos y tristes; de no recibir ayuda, su vida hubiera sido un infierno.

- Carlos tuvo que inscribirse en una escuela especial para alumnos con problemas. Ahí lo ayudaron a dejar de beber y recurrir a las drogas. Después de descubrir lo que sentía en relación con el divorcio de sus padres, hablaron con él y con sus papás. Carlos comprendió que no tenía nada que ver en la separación y sus padres supieron cómo ayudarlo.
- Sonia le contó finalmente a su papá lo que pasaba y él le dijo que no tenía por qué sentirse culpable de que él se hubiera separado de su mamá, pues las razones habían

sido otras. En adelante, Sonia ya no tuvo miedo de hablarle a Silvia cuando su papá estaba presente.

- Su mamá le contó a Pilar más detalles acerca de su divorcio, para que ella descubriera las verdaderas causas. Los papás de Pilar se reunieron con ella para decirle cuánto la amaban y para hacerle saber claramente que ella no era la responsable de su separación. Luego, se organizaron para dedicarles más tiempo, tanto a ella como a sus hermanos.

¿Te sientes culpable del divorcio de tus padres? Tal vez pienses que hiciste algo que contribuyó a que ellos tomaran tal decisión, o quizá estés enojado o triste la mayor parte del tiempo.

Es muy importante que estés consciente de que el divorcio de tus padres no es culpa tuya. Puede ser que ahora se sientan arrepentidos de lo que se dijeron en un momento de ofuscación, porque saben que no era verdad. Y si en algún momento pelearon por tu causa o se molestaron contigo, ten la seguridad de que eso no influyó en la decisión que tomaron: el divorcio ocurre entre esposo y esposa, no entre padres e hijos.

Si te sientes culpable del divorcio de tus padres, no te guardes ese sentimiento, habla con ellos con absoluta confianza. Explícales cómo te sientes.

Suele ser útil hablar del divorcio de los padres con un amigo o un familiar

Puedes decirles: "Papá (o mamá), hay algo que no me deja tranquilo" o "Mamá (o papá), me he sentido muy mal desde que se separaron, pero no con ustedes, sino conmigo mismo."

Después cuéntales que te sientes culpable de su divorcio. Aclárales con detalle las razones por las que te sientes así.

En la mayoría de los casos, lo mejor es hablar con los papás, aunque tal vez eso te resulte muy difícil, si no es que imposible. De ser así, platica con un familiar o con un amigo en el que confíes. No te guardes tus sentimientos.

En ocasiones, los padres divorciados pretenden comprar con regalos el amor de sus hijos.

Capítulo 5

No tomes partido

Después del divorcio, los padres deben empezar una nueva vida separados; sin embargo, sus hijos siguen ocupando un lugar primordial, de manera que no pueden dejar de verse ni de conversar.

Hay padres que siguen siendo amigos después de su divorcio, se reúnen a hablar sobre sus hijos, fijan las reglas que éstos tendrán que seguir tanto en casa de mamá como en la de papá y se ponen de acuerdo para no hablarles mal uno del otro.

No obstante, en algunos casos los padres divorciados no llevan una buena relación, siguen enojados, no quieren ni hablarse, pero hablan con sus hijos. Por lo general dedican estas conversaciones a hablar mal de quien fue su pareja, pretenden poner a sus hijos de su lado y éstos suelen sentirse en medio de una batalla entre su madre y su padre.

A veces es otra la razón que impulsa a los padres a presionar a sus hijos a que tomen partido, temen perder su cariño y tratan de "comprar" su amor por todos los medios: los llevan a pasear a lugares especiales, les compran cosas caras y los dejan hacer lo que se les antoja.

Cuando uno de los padres se comporta de esta manera, el otro suele enfadarse. Los hijos están de nuevo en medio de una batalla.

¿Qué debes hacer en caso de que alguno de tus padres quiera que tomes partido?

- Si te habla mal del otro, dile que no quieres oírlo. Dile, por ejemplo: "Sé cómo te sientes, pero por favor ya no digas esas cosas. Yo sigo queriendo a mi papá (o mamá)."
- Si uno de tus padres trata de "comprar" tu cariño, sé muy cuidadoso. Quizá te guste que te dé regalos o que te lleve a pasear a lugares especiales, pero no por ello pierdas la cabeza. El amor no es eso. No dejes de demostrarle al otro de tus padres que también lo amas.

Lo más importante de todo es que por ningún motivo tomes partido. Para superar los difíciles momentos por los que estás pasando, necesitas el amor de los dos: de tu mamá y de tu papá. Dile a tus padres cuánto necesitas su amor para poder desarrollarte sano y feliz.

Casos especiales

A veces los padres hacen cosas que pueden dañar o perjudicar a otras personas. Probablemente en este caso no te quede más remedio que alejarte de ellos hasta que consigan ayuda, o contárselo a alguien para que intervenga. A continuación se detallan algunas actitudes que los padres pueden adoptar.

- Beber o drogarse en exceso. Si tu padre o tu madre tienen problemas con la bebida o con las drogas, quizá no puedas ayudarlos. Cuéntale el problema a un adulto que te inspire confianza.
- Ponerse violentos. Si uno de tus padres pretende hacerte daño o golpear al otro, solicita el auxilio de la policía.
- Deprimirse en exceso. Es común que los padres no se sientan bien anímicamente después de un divorcio, pero en ocasiones llegan

al grado de querer morirse. Si alguno de ellos habla de sus intenciones de suicidarse, cuéntaselo a un familiar.

Un padre que no es feliz puede volverse violento.

Capítulo 6

Cuando los padres actúan como niños

Ignacio le habla por teléfono a Teresa para invitarla a salir el sábado en la noche, pero ella le dice que no puede: tiene que quedarse en casa porque su mamá la necesita.

Eric visita a su papá todos los fines de semana. Su papá siempre lo lleva al bar, se emborracha y Eric tiene que llevarlo a su casa, desvestirlo y acostarlo.

Estela ya no puede salir a ningún lado; cuando vuelve

Ayudar a uno de los padres en épocas difíciles puede convertirse para los hijos en una pesada carga.

a su casa, siempre la encuentra hecha un desastre. Su mamá se la pasa acostada leyendo, así que ella tiene que hacerse cargo de la limpieza y de cocinar.

El comportamiento de los padres de estos jóvenes es infantil. No quieren enfrentar solos su vida. A la mamá de Teresa le da miedo quedarse sola; el papá de Eric da por hecho que su hijo cuidará de él; la mamá de Estela ya no está dispuesta a comportarse como una persona adulta, lo único que quiere es permanecer en su recámara.

Cuando los padres actúan como niños, los hijos suelen verse obligados a actuar como padres. Sin embargo, a veces esto llega demasiado lejos, al grado de que los hijos tienen que renunciar a su vida personal.

¿Qué debes hacer si esto llega a ocurrirte? En primer lugar trata de hablar con aquel de tus padres que te está causando el problema, esfuérzate por no ser agresivo; tu padre o tu madre te escuchará mejor si permaneces tranquilo. Veamos lo que podrían decir Teresa, Eric y Estela:

- Teresa: "Mamá, la verdad es que hace mucho que no veo a mis amigos quisiera salir el sábado en la noche. Sé que no quieres quedarte sola, pero ¿por qué no le hablas a alguien que pueda venir a acompañarte?"

Es importante que los hijos no dejen de conversar con sus padres después del divorcio.

- Eric: "Papá, te quiero mucho pero estoy preocupado por ti. Me asusta que cada vez bebas más. Quisiera que ya no lo hicieras. Tal vez el próximo fin de semana podríamos ir al cine en lugar de ir al bar."

- Estela: "Me siento muy cansada, mamá. Comprendo que estás triste, pero no puedo hacerme cargo de la casa y de mis estudios al mismo tiempo. Qué te parece si tú preparas la cena hoy en la noche."

Si esta conversación no da resultado, recurre a otra persona. Intenta hablar con un familiar que pueda comprender la situación, o bien comenta el asunto con tu maestro o con un sacerdote. Alguna de estas personas podrá ayudarte, ya sea que te sugiera una nueva conversación con tus padres o que ella misma hable con ellos en tu nombre. Si no deseas que lo haga, díselo.

Verse separado de la familia puede crear en un padre sentimientos de culpa.

Capítulo 7

El amor hacia ambos padres

No siempre es fácil amar a los padres, aun viviendo juntos. Si ya se han separado, a veces cuesta más trabajo brindarles afecto. Pero es importante que lo intentes.

Cuando los padres se divorcian, los hijos suelen sentirse muy afectados. Sin embargo, el hecho de saber que tanto su padre como su madre los siguen amando les permite superar su malestar.

Quizá te sientas muy confundido por lo que ha pasado entre tus padres. Tal vez estés enojado con uno de ellos. En este caso, no olvides lo que los padres les suelen decir a sus hijos cuando hacen algo malo: "No me gustó nada lo que hiciste, pero no por eso voy a dejar de quererte." Quizá estés enojado con tus padres, pero eso no quiere decir que debas cambiar tus sentimientos hacia ellos.

Puede ser que tus padres no contribuyan mucho a que los quieras. Supongamos que estás viviendo con tu mamá, ella sigue sufriendo por su divorcio, continuamente te trata con brusquedad, nunca parece escuchar lo que le dices y se la pasa dándote órdenes. En consecuencia, lo más probable es que desees alejarte de ella pero, aunque no lo creas, te necesita. Trata de ser paciente con ella. Cóntrolate, no te enojes. Intenta mostrarle con pequeños detalles que la amas. Recuerda el dicho clásico: "Madre sólo hay una."

Es natural que te resulte aún más difícil tratar con aquel de tus padres que ya no vive contigo. Por lo general se trata de tu papá. La separación ha cambiado su vida por completo. Es probable que él también esté sufriendo y que sienta que ha perdido a sus hijos. Tal vez estás enojado con él por haberte abandonado, aun así, y por muy difícil que te parezca, deberías intentar acercártele. Quizá te lleve tiempo, pero será valioso para los dos. Después de todo, padre también sólo hay uno.

Capítulo 8

¿Por qué no pueden volver?

Los padres de Hilda se habían separado hacía un año, pero seguían llevándose muy bien y con frecuencia se hablaban por teléfono. Cuando los fines de semana su papá pasaba por Hilda para llevarla a pasear, su mamá solía recibirlo en la puerta; era como si les diera gusto verse y siempre platicaban por unos momentos, incluso de vez en cuando su mamá lo invitaba a la casa a tomar un café.

Luego de que sus padres se divorciaron, Samuel se fue a vivir con su papá. Extrañaba tanto a su madre, que todo el tiempo hablaba de lo que habían hecho los tres cuando vivían juntos, pero su papá se limitaba a escucharlo sin decir nunca nada.

Julián no ha vuelto a hablar con su padre desde que éste se separó de su mamá, hace ya seis meses. Se prometió no dirigirle la palabra hasta que regresara a vivir con ellos.

Hilda, Samuel y Julián aman a sus padres. Son como muchos otros hijos que desean que sus padres vuelvan a vivir juntos, ya que aún no entienden por qué tuvieron que divorciarse. Pero incluso si lo comprendieran, preferirían no pensar en ello. Se la pasan recordando los días felices que pasaban cuando eran una familia unida; están seguros de que todos sus problemas desaparecerían si su mamá y su papá volvieran a unirse.

Quizá a veces tú pienses lo mismo. Es lógico que te gustaría que las personas a las que más quieres vivieran contigo; no obstante, debes comprender que lo más probable es que tu mamá y tu papá ya no vuelvan a vivir juntos.

Piensa cómo era tu vida antes de que tus padres se divorciaran. ¿De verdad todo era maravilloso? Quizá te acuerdes todavía de las disputas y agresiones entre tus padres, aunque puede ser que no te hayas percatado de ellas, pues hay papás que les ocultan sus problemas a sus hijos. En este caso, a

Aun si los padres se han divorciado, una familia puede seguir llevándose bien.

ellos les cuesta más trabajo comprender el porqué de la separación de los padres.

Tal vez te resulte difícil entender la causa de su divorcio. Quizá cuando haya pasado un poco más de tiempo ellos mismos te lo expliquen; por lo pronto, date cuenta de que hablar de lo ocurrido no cambiará la situación, además de que no está en tus manos el que ellos decidan volver a unirse.

No olvides que tú no fuiste culpable del divorcio. Como tus padres no se separaron por tu causa, tampoco puedes obligarlos a que se reconcilien. No depende de ti el que ellos vuelvan a vivir juntos.

No te queda más que aceptar el hecho de que tus padres se han divorciado. En cuando lo consigas, tu vida volverá a la normalidad y podrás disfrutar los momentos que pases con ellos. Sólo así dejarás de vivir en el pasado para ubicarte en el presente.

Capítulo 9

No estás solo

Juan tenía muchos amigos. Era miembro del equipo de basquetbol de su escuela, y además sacaba muy buenas calificaciones. Se llevaba muy bien con todo el mundo; sin embargo, después de que sus padres se divorciaron su conducta cambió: empezó a faltar a la escuela con frecuencia, caminaba con la cabeza inclinada, se salió del equipo de basquetbol y se volvió agresivo con la gente. Antes le hablaban tantos amigos por teléfono que ya no quería ni contestarles, pero ahora ya nadie lo busca.

Juan cree que nadie comprende lo que le pasa. Está seguro de que nadie se ha sentido tan mal como él ahora. Piensa que la soledad por la que atraviesa le impedirá volver a sentirse contento.

Quizá tú también te sientas solo, pero no es así. Se calcula que tres de cada diez adolescentes han tenido que enfrentar el divorcio de sus padres; esto quiere decir que en una clase de 30 alumnos, es probable que nueve de ellos sean hijos de padres divorciados y vivan sólo con su papá o con su mamá. Algunos de ellos, incluso, tienen madrastra o padrastro.

Te sentirás mejor si hablas con alguien que también haya pasado por una experiencia así. Si ninguno de tus amigos se encuentra en la misma situación, entonces platica con tu maestro; tal vez te sugiera que asistas a algún grupo de apoyo. Un grupo de apoyo está constituido por un conjunto de personas que se reúnen para hablar de sus problemas, ayudarse y apoyarse.

Aun así, también tus demás amigos pueden ayudarte. Platica con tu mejor amigo o amiga; a veces a uno le basta con que otra persona lo escuche para sentirse mejor.

Es importante, asimismo, que trates de mantenerte ocupado para no pensar todo el tiempo en tus problemas; asiste a las prácticas de tu equipo deportivo, si es que perteneces a alguno; cumple con tus tareas; sal con tus amigos y amigas. Estas cosas no resolverán por sí solas tus problemas, pero cuando menos los sacarás de tu mente por un momento.

Si no puedes superar este estado de ánimo, habla con tu mamá, o con tu papá, o con alguien en quien confíes. Lo importante es que te des cuenta de que de ninguna manera estás solo.

Es común que los hijos se sientan solos y confundidos después del divorcio de sus padres.

A veces los hijos no están de acuerdo con que los padres divorciados salgan con una nueva pareja.

Capítulo 10

Cuando los padres encuentran a otra persona

La mamá de Alberto entró a la sala luciendo un vestido nuevo. Se había maquillado y perfumado.

—¿Cómo me veo? —le preguntó a Alberto.

—Primero dime a dónde vas a ir —le contestó su hijo.

—Voy a salir con un señor que conocí en el trabajo... Pero no me has dicho cómo me veo... —insistió ella.

—¿Sabe mi papá lo que vas a hacer? —preguntó Alberto.

—¡Por supuesto que no, hijo! Tu papá y yo nos

divorciamos hace ya seis meses —explicó su madre con cierto tono de tristeza.

—Ya lo sé, pero... —protestó él.

Su madre lo interrumpió:

—¿No puedo salir con nadie que no sea tu papá?

—Oh, haz lo que quieras —respondió Alberto casi a gritos, y echó a correr por las escaleras.

—¡Alberto! —le dijo su madre, intentando seguirlo, pero en respuesta él se encerró en su recámara dando un portazo.

Alberto tiene 15 años. Está muy molesto con su madre, aunque en realidad no sabe por qué; en el fondo siente que está engañando a su papá.

Él está equivocado. Su madre ha vuelto a ser una mujer soltera, y lo más natural es que ahora desee relacionarse con otras personas. Ha decidido salir con un nuevo conocido, pero Alberto no puede comprenderlo; en realidad no ha aceptado el divorcio de sus padres.

Su papá le anunció a Isabel que tenía que hablar con ella. Le dijo que iba a salir con una mujer el viernes por la noche.

—¿Cuántos años tiene? —le preguntó Isabel.

—¿Crees que es importante su edad? —preguntó su padre a su vez.

—Sí —contestó ella.

—Tiene 28 años —le informó su papá.

—¿Veintiocho años? —Isabel parecía alarmada. ¡Es diez años menor que mamá! ¿Cómo es?

—Es bonita —le respondió su padre.

—¿Más bonita que mamá?

—Yo no las compararía... —comentó él.

—¿Te vas a acostar con ella? —preguntó la hija.

—¡Isabel! —exclamó el padre, contrariado —¿por qué me preguntas eso?

Isabel empezó a llorar.

Isabel tiene 14 años. La cita de su padre la desconcierta, siente que ahora su papá es como cualquier otro hombre que sale con una mujer. Ella misma se está convirtiendo en mujer; los muchachos le atraen cada vez más. Le resulta difícil imaginar que su padre pueda tener sentimientos semejantes hacia una mujer. Le cuesta trabajo, sobre todo, aceptar el hecho de que su padre pueda estar con una mujer que no sea su madre. Al mismo tiempo, se siente muy cerca de su papá y teme que esta joven y atractiva mujer pueda alejarlo de ella.

Isabel está muy confundida. Comprende, hasta cierto punto, que su padre sienta la necesidad de buscar otra pareja, pero eso le molesta e incluso le da miedo.

Si tus padres están divorciados y ya están saliendo con otras personas, es muy probable que sientas lo que Alberto e Isabel. No es fácil que concibas a tu mamá y a tu papá como solteros, pero eso es lo que son ahora; están intentando empezar una nueva vida, lo cual implica relacionarse con nuevos amigos y asistir a reuniones sociales con otras personas.

Cuando esto ocurre, tu reacción puede ser de confusión o sobresalto. En caso de que te sientas así, es importante que tomes en cuenta las cosas que *no* debes hacer.

- No te enfades con tus papás ni les grites, pues lo único que conseguirás es que ellos te respondan igual y que la tensión vaya en aumento.
- No les digas lo que tienen que hacer, porque te expones a que te contesten que no tienes por qué inmiscuirte en su vida personal; de esta manera no sólo lograrás sentirte mal, sino que te será imposible contarles cómo te sientes.
- No expreses tus sentimientos frente a la nueva pareja de tu mamá o tu papá, ya que puedes hacer sentir muy mal a esa persona y provocar el enojo de tus padres.

¿Qué *debes* hacer con tus sentimientos? Expónselos con serenidad a tu papá o a tu mamá. Es natural que te sientas molesto, pero no tienes por qué *comportarte* en forma agresiva. Puedes decir: "Entiendo que ahora eres soltera (soltero), pero me desagrada verte con alguien que no sea papá (o mamá). No sé por qué me siento así, pero esa es la verdad."

Aun en el caso de que te muestres tranquilo, es posible que ellos se exalten, ante lo cual podrías decir: "Quizá será mejor que hablemos de esto otro día."

Probablemente te sea difícil hablar de este tema con tus padres, sobre todo si en su trato personal han terminado por adoptar la costumbre de levantarse la voz. Sin embargo, vale la pena que te esfuerces por mantenerte sereno. Si *tú* estás tranquilo, es más factible que tus padres también lo estén.

Para un hijo o hija puede resultar difícil aceptar a un nuevo miembro en la familia.

Capítulo 11

Cuando los padres vuelven a casarse

Puede ser que algún día tu padre o tu madre decidan volver a casarse. Ese día puede llegar muy pronto, o no llegar nunca. En caso de que llegue, también será un día importante para ti, significará que en tu vida habrán de ocurrir grandes cambios. A continuación se relatan cinco breves historias de jóvenes, cuyos padres decidieron casarse de nuevo.

Raúl se siente sumamente desconcertado. No ha teni-

do el tiempo suficiente para asimilar el divorcio de sus padres y ahora resulta que tendrá que acostumbrarse a la presencia de un padrastro.

La mamá de Raúl volvió a casarse una semana después de su divorcio. Él sabía que tal cosa podía ocurrir porque su mamá se separó de su papá a causa de Jorge; sin embargo, todo ha sucedido muy rápido. Jorge y su mamá estuvieron fuera una semana, pero luego volvieron a casa.

Jorge le dijo a Raúl que no pretendía sustituir a su padre, pero a los pocos días ya le estaba indicando lo que tenía que hacer. Raúl quiere irse de su casa, pero no puede hacerlo; apenas tiene 14 años. Llamó a su papá y le preguntó si podía irse con él, pero su papá le dijo que por lo pronto le era imposible conseguir un departamento más amplio para los dos.

A Leticia no le incomodaba que su mamá se citara con otras personas, pero llegó el día en que conoció a Rafael.

La mamá de Leticia estuvo saliendo con distintas personas a lo largo de un año, pero nunca las llevaba a casa, siempre hacía sus citas en un restaurante. Después de un tiempo, una noche su madre invitó a Rafael a cenar a su casa para comunicarle que iban a casarse.

Esa misma noche, su mamá le preguntó a Leticia si le había simpatizado Rafael. Por supuesto que no le había simpatizado en absoluto y en nada se parecía a su papá, se reía en forma escandalosa y decía muchas groserías; sin embargo, no se atrevió a decírselo a su madre, que parecía sentirse tan contenta...

A Carmen le dio mucho gusto que su papá se casara con Esther, pero las cosas cambiaron cuando su nueva esposa y sus dos hijos se mudaron a vivir con ellos.

Esther le caía muy bien a Carmen, ese no era el problema; eran los dos hijos de Esther los que la enloquecían, tenían 9 y 11 años de edad y eran un verdadero desastre.

Su papá le dijo que debía darles una oportunidad y Carmen lo intentó, pero los niños no le correspondían, la trataban muy mal y se burlaban de su novio; le parecían tan detestables que también empezó a rechazar a Esther y después comenzó incluso a detestar a su papá por haberse casado con ella.

José Luis y su papá nunca se habían llevado muy bien, así que le dio mucho gusto que su mamá se casara con Raymundo.

José Luis simpatizó con Raymundo desde que lo conoció, más o menos un año después del divorcio de sus padres. Raymundo los llevó a su mamá y a él a las carreras del hipódromo donde la pasaron en grande. Cuando Raymundo iba a visitar a su mamá, siempre le dedicaba a él unos momentos; acostumbraban jugar beisbol en el patio. A veces, simplemente se sentaban en la puerta a platicar. Todos estos detalles contribuyeron a que él aceptara con gusto que Raymundo y su mamá se casaran.

El padre de Rosa se volvió a casar sin avisárselo, de modo que cuando se enteró se sintió totalmente excluida de la vida de él.

Rosa vivía con su mamá durante la semana y pasaba unos divertidos fines de semana con su papá. Sin embargo, éste se casó de pronto con Catalina. Rosa sintió que ya no era bien recibida en casa de su padre. Cada fin de semana la situación empeoraba.

Al principio, Catalina la miraba con desagrado cuando su papá se distraía, pero después empezó a darle órdenes. Le decía cómo debía comportarse, y hacía un escándalo cada vez que Rosa tocaba algún objeto de la casa.

Rosa habló varias veces con su papá acerca de Catalina, pero él no parecía ponerle mucha atención a sus quejas. Siempre se ponía del lado de su nueva esposa. A la hija no le quedó más remedio que encontrar motivos para quedarse con su mamá los fines de semana.

El nuevo matrimonio de su papá es para Rosa una pesadilla. Siente como si hubiera vuelto a perder a su padre. Siendo así, le da más gusto saber que sus relaciones con su mamá son excelentes. En el caso de José Luis, el hecho de que su mamá haya vuelto a casarse le ha dado una gran satisfacción: siente que por fin ha encontrado un verdadero padre. A veces las cosas toman este curso inesperado. Raúl, Leticia y Carmen no se sienten muy contentos con lo ocurrido en la vida de sus padres, pero puede ser que con el tiempo su situación mejore.

Cada una de estas historias tiene un sello especial. Si tu mamá o tu papá deciden volver a casarse, empezará otra historia particular: la tuya.

Un divorcio no cambia el amor entre padres e hijos.

Capítulo 12

La vida después del divorcio

Si tus padres deciden divorciarse, la historia de tu familia no acabará con el clásico final: "y vivieron muy felices el resto de sus días". Sin embargo, tanto para tus padres como para ti, ese hecho puede ser el inicio de un nuevo tipo de vida. Cuando esto ocurra, toma en cuenta las siguientes sugerencias:

- Ignora la opinión de aquellas personas que pretendan culpar a alguien del divorcio de tus padres. Más allá de su decisión, ellos siempre serán para ti mamá y papá. Trata de perdonarlos.

- El divorcio de tus padres ocurrió por problemas entre ellos, así que no te sientas culpable.
- No tomes partido por ninguno de ellos. Trata de mantenerte al margen de sus disputas.
- Tus padres te quieren. Quizá a veces se molestan contigo o prefieren dedicarse a sus propias cosas, pero no por eso han dejado de amarte.
- Tus padres necesitan de tu cariño; demuéstrales cuánto los quieres, pero no renuncies a tu vida personal.
- Deja atrás el pasado, acepta que el matrimonio de tus padres se acabó.
- También tus padres tienen una nueva vida por vivir, quizá se relacionen con nuevas personas e incluso algún día decidan volver a casarse.

Por ningún motivo debes pensar que estás solo. Muchas personas van a entender lo que te ha ocurrido y te ayudarán con gusto. No dudes en hablar con ellas.

Glosario

Custodia. Cuidado y control de los hijos después de un divorcio. Custodia conjunta significa que ambos padres deben ocuparse de los hijos y tomar decisiones sobre ellos.
Deprimido. Muy triste. Si sólo estás un poco deprimido, el hecho no pasa de una leve crisis anímica; si te sientes muy deprimido, quizá debas ver a un médico.
Derechos de visita. Reglas acerca de cuándo y con qué frecuencia los padres pueden ver a sus hijos en caso de que no vivan con ellos. Estos derechos suelen ser establecidos por un juez al momento del divorcio.
Grupo de apoyo. Personas que se reúnen para

ayudarse a resolver sus problemas, que son semejantes.

Pensión para los hijos. Dinero que uno de los padres debe entregarle al otro después del divorcio para contribuir a los gastos de los hijos en aspectos como la alimentación, la ropa y otros.

Suicidio. Acto de quitarse deliberadamente la vida.

Violento. Se dice de quien, en un arranque de ira, pierde el control de sí mismo. De una tormenta que provoca muchos daños se dice que es "violenta". Comúnmente, una persona violenta pretende dañar a quienes se encuentran a su alrededor.

Dónde obtener ayuda

Si no te sientes bien, te sugerimos que platiques con un adulto de tu confianza, ya sea un maestro, un asesor, un sacerdote o alguien de tu familia. Sin embargo, en una situación extrema —es decir, si sientes deseos de morir o de huir de tu casa— debes recurrir a ayuda especializada.

- Si necesitas ayuda en este momento, ya sea porque te sientes sumamente molesto y confuso o porque crees que corres el riesgo de hacerte daño o dañar a otra persona, recurre de inmediato a Locatel, marcando el 658-1111 o al Centro de Servicios Psicológicos, marcando el 550-5020. Ambos cuentan con un servicio especializado de apoyo para crisis emocionales.

- Si alguno de tus padres recurre a la violencia, puedes llamar a la Dirección General de Asuntos del Menor, al 625-7638 en la ciudad de México.
- En caso de crisis emocionales graves puedes recurrir a cualquier hospital o clínica, hay muchos en el país.

Sugerencias de lectura

Marck Cadiot, *El divorcio*, Ediciones Roca.

John Marciano, *El divorcio y la separación*, Editorial Paidós.

Alberto Mayagoitia, *Matrimonio y divorcio*, Editorial Panorama.

Cómo explicar el divorcio a los hijos, Ediciones La Flor.

Índice analítico

Esta obra se terminó de imprimir
en el mes de enero de 1994
en los talleres de Tipográfica Barsa, S. A.
Pino 343-71, Col. Santa María la Ribera
México, D. F.

Se tiraron 3 000 ejemplares
más sobrantes para reposición